L'anniversaire de Julie

Emmanuelle Massonaud

hachette
ÉDUCATION

Avec Sami et Julie, lire est un plaisir !

Avant de lire l'histoire

- Parlez ensemble du titre et de l'illustration en couverture, afin de préparer la compréhension globale de l'histoire.
- Vous pouvez, dans un premier temps, lire l'histoire en entier à votre enfant, pour qu'ensuite il la lise seul.
- Si besoin, proposez les activités de préparation à la lecture aux pages 4 et 5. Elles permettront de déchiffrer les mots les plus difficiles.

Après avoir lu l'histoire

- Parlez ensemble de l'histoire en posant les questions de la page 30 : « As-tu bien compris l'histoire ? »
- Vous pouvez aussi parler ensemble de ses réactions, de son avis, en vous appuyant sur les questions de la page 31 : «Et toi, qu'en penses-tu ?»

Bonne lecture !

Couverture : Mélissa Chalot
Maquette intérieure : Mélissa Chalot
Mise en pages : Typo-Virgule
Illustrations : Thérèse Bonté
Édition : Laurence Lesbre
Relecture ortho-typo : Jean-Pierre Leblan

ISBN : 978-2-01-290382-1
© Hachette Livre 2017.

Achevé d'imprimer en avril 2021 en Espagne par Grafo - Dépôt légal : Janvier 2017 - Édition 12 - 28/6146/1

Les personnages de l'histoire

Pour préparer la lecture

1 Montre le dessin quand tu entends le son (j) comme dans <u>J</u>ulie.

2 Montre le dessin quand tu entends le son (gu) comme dans gâteau.

3 Lis ces syllabes avec le son (j).

 âge jo ouge jau

gé rage jap agi

4 Lis ces syllabes avec le son (gu).

ga	gon	gue	gla	go	gou	gui

gran	glu	gri	gomme	gar	gâté

5 Lis les mots de l'histoire.

anniversaire une bougie une guirlande

un gâteau de la grenadine du jus d'orange

Julie compte les jours.

Elle aura 7 ans le 8 avril.

– 7 ans, c'est l'âge

de raison : j'aurai toujours

raison ! dit-elle en faisant

la grande.

Sami enrage :

– C'est pas juste !

– C'est une blague, banane !

Allez, je t'invite

à mon anniversaire !

Julie finit de coller

des gommettes et signe

les cartes pour son goûter

déguisé.

Dans la cour de récré,

Sami aide Julie à trouver

toutes ses copines.

Il donne une carte

à Justine, sa préférée.

Le jour J est enfin arrivé !

Papa a préparé un gâteau,

Maman a mis des jolies

guirlandes et Sami

a gentiment aidé

à gonfler les ballons.

Julie s'est déguisée

en Espagnole ! Elle a mis

une jolie robe rouge

et jaune, des bijoux

et une grosse marguerite.

Elle ajoute aussi une goutte

d'eau de Cologne.

DING, DONG !

Génial, les amis arrivent
déjà ! Enfin plutôt :
un dragon, des judokas
rigolotes, une charmante
Japonaise et une jolie
sorcière-pirate...

17

Mathieu arrive en retard.

– J'ai oublié de me déguiser !

– Ce n'est pas grave :

on t'attendait pour la pêche

à la ligne, dit Julie.

19

Mathieu est très agile.

– J'ai gagné ! s'écrie Mathieu.

Qui échangerait cette

bague ?

– Moi, contre ce monstre

gluant ! répond Julie.

21

Déguisé en ogre, Papa

apporte du jus d'orange,

de la grenadine et

une gigantesque meringue

glacée avec 7 bougies.

– Joyeux anniversaire,
(z)

ma grande fille ! dit Papa.

22

Joyeux anniversaire,
Joyeux anniversaire,
Joyeux anniversaire
JUJU !
¡Joyeux anniversaire !

– Et maintenant, dit Maman,

une photo-souvenir !

Souriez ! Ouistiti ! Allez,

même Dark Vador !

– **OUIS-TI-TI** !

La fête est finie ;

les invités sont partis :

ce fut une longue

et joyeuse journée !

Il ne reste plus qu'à ranger.

– C'était génial :

j'ai été gâtée !

J'espère que vous m'avez

gardé un peu de meringue

glacée à grignoter ?

– Oups ! je crois

que Papa l'a terminée,

chuchote Sami...

As-tu bien compris l'histoire ?

1 Quel âge va avoir Julie ?

2 Est-ce que c'est vrai que Julie « aura toujours raison » ?

3 En quoi se déguise Julie ?

4 Qui a oublié de se déguiser ?

5 Qu'est-ce que Julie a gagné à la pêche à la ligne ?

Et toi, qu'en penses-tu ?

Et toi, quel âge as-tu ?

Qui inviteras-tu à ton anniversaire ?

Est-ce que tu aimes aller aux anniversaires de tes amis ?

Que préfères-tu aux anniversaires : les bonbons ou le gâteau ?

Les amis de Julie l'appellent « Juju ». Et toi, as-tu un surnom ?

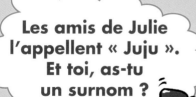

Dans la même collection

Niveau 1
Début de CP

Niveau 2
Milieu de CP

Niveau 3
Fin de CP

Niveau CE1

Niveau CE2

NOUVEAU !

hachette
ÉDUCATION